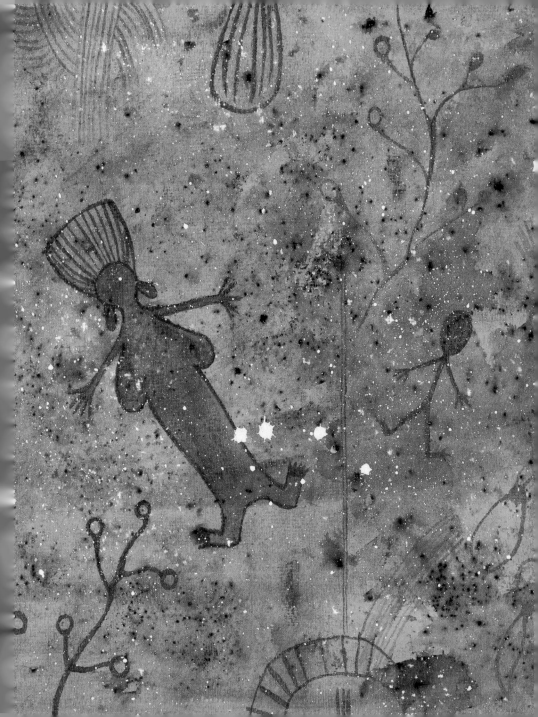

Pour Irène Kuyu-ma et Pierre Papunya
CN
Pour Fede, Giuli, Rosanna, Andrea, Daniele e Omar
et tous nos futurs petits bouts...
A-C DB

ISBN 978-2-211-08619-6
Première édition dans la collection « lutin poche » : octobre 2006
© 2004, l'école des loisirs, Paris
Loi numéro 49 956 du 16 juillet 1949 sur les publications
destinées à la jeunesse : septembre 2004
Dépôt légal : janvier 2014
Imprimé en France par IME à Baume-les-Dames

Le petit Sorcier de la pluie

Texte de Carl Norac
Illustrations d'Anne-Catherine De Boel

Pastel
lutin poche de l'école des loisirs
11, rue de Sèvres, Paris 6e

Quand il vint au monde, ce bébé était si petit et si remuant que Kuyu-ma,
sa maman, pensa l'appeler Fleur-qui-danse. Son papa, l'homme-médecine,
le cueillit dans les bras de maman et dit : « Ce joli garçon a des yeux de rêveur,
des yeux en forme de croissant, brillants comme l'astre de la nuit.
Si on le nommait plutôt Rêve-de-lune ? »
Maman Kuyu-ma et Papa Papunya discutèrent longtemps.
Ils n'arrivaient pas à se décider.

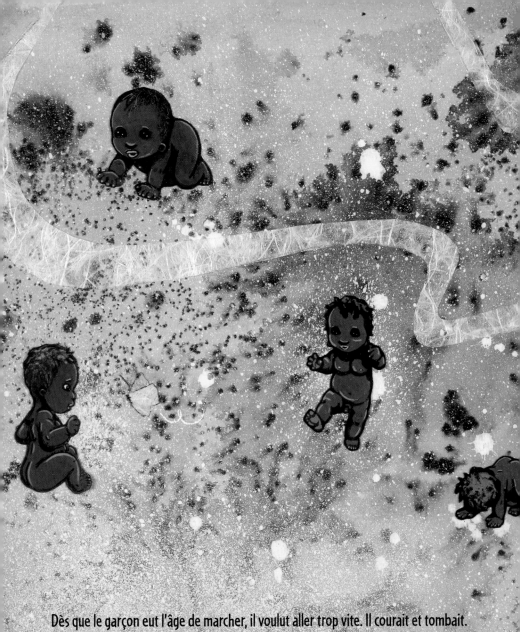

Dès que le garçon eut l'âge de marcher, il voulut aller trop vite. Il courait et tombait.
Il s'amusait à escalader le dos de l'émeu et dégringolait. Les femmes du clan répétaient :
« Le fils de Kuyu-ma et de Papunya tombe toujours sans prévenir. Il est comme la pluie. »

C'est ainsi que les gens-qui-chassent-dans-le-pays finirent par appeler l'enfant : Petite Pluie.
Si bien qu'un soir, ses parents lui dirent :
« Dors bien, Petite Pluie. Ne tombe pas du nuage de tes rêves. »

Quand il commença à comprendre les mots,
Petite Pluie fut très content de porter ce nom-là.
La pluie, dans ce pays, est la bienvenue.
Sans elle, rien ne pousse. Sans elle, rien ne vit.
Or, cette année-là, la pluie ne venait pas.
Une grande sécheresse sévissait.
Les chiens dingos aboyaient au soleil.
Les gens du clan passaient des heures
à regarder le ciel.
Mais pas un nuage ne se montrait.

Une vieille dame vint alors trouver le papa de Petite Pluie.
« Homme-médecine, toi qui guéris nos maladies, peux-tu t'occuper du mal
qui empêche la pluie ? Le soleil a de la fièvre, soigne-le. Qu'il puisse se coucher,
se reposer et que les nuages pleuvent. »
« Je n'ai pas de remède pour ça », répondit Papunya.

« Moi, j'en ai un », s'écria Japayardi, celui-qui-rêve-toujours-de-fantômes.

« Je vais faire tomber la pluie. » Japayardi montra un bout de bois

attaché à une corde et dit : « Ce bois-là, quand il tourne dans l'air, fait revenir

l'esprit de mon grand-père du pays-de-ceux-qui-ne-sont-plus-là. Mon grand-père

était un faiseur de pluie. En rêve, il nous rejoindra et fera pleuvoir. »

Rhombe ! Rhombe ! Rhombe ! fit le bout de bois en tournant.

Petite Pluie se blottit contre sa maman. Il avait peur des fantômes.

Mais rien ne se passa. « Arrête, Japayardi », dit Papunya,

« ton ancêtre dort trop profondément au pays-de-ceux-qui-ne-sont-plus-là. »

Les frères N'a-qu'un-œil arrivèrent, couverts de peintures de guerre.
« Un œil chacun, mais à deux, nous voyons tout. Nous, grands sorciers,
amis du dieu Nqua, nous allons chasser le soleil avec nos tambours ! »
Ils se mirent à jouer si fort que la terre trembla.
Petite Pluie se boucha les oreilles, mais dans sa tête, le bruit continuait
à faire des Boum ! des Bam ! des Ho ! La musique était vraiment magique.
Le soleil le savait, mais il ne voulait pas s'en aller. Fâché que l'on veuille
le chasser, il devint de plus en plus rouge, de plus en plus chaud.
« Arrêtez, frères N'a-qu'un-œil », s'écria Papunya. « Si vous continuez,
nous allons flamber ! »

Toujours pas d'eau tombée du ciel. Rien à planter. Rien à cueillir.

Les gens du clan ne pensaient plus qu'à ça.

Souvent, ils s'approchaient du fils de Kuyu-ma et de Papunya :

« Bonjour, Petite Pluie. Petite Pluie, ça va ? Où vas-tu, Petite Pluie ?

Petite Pluie, que dis-tu ? Petite Pluie es-tu là ? »

Répéter son nom leur donnait un peu d'espoir. Petite Pluie l'avait compris.

Il insista auprès de son papa. Ne pourrait-il pas trouver par magie le secret

qui fait tomber la pluie ?

« J'ai peut-être un moyen ! dit Papunya. Va chercher les gens du clan ! »

« Mes amis, puisque nous ne parvenons pas à chasser le soleil brûlant,
nous allons plutôt appeler en douceur les hommes-nuages. Que tous ceux
qui savent jouer de belles musiques aillent chercher leurs instruments !
Que tous ceux qui chantent bien nous rejoignent ! Les hommes-nuages
ne viennent jusqu'à nous que si tout est beau et doux. »
Jamais on n'entendit une musique aussi pure et des chants aussi envoûtants.
Soudain, au loin, dans le ciel, de grandes formes blanches apparurent...

« Les hommes-nuages ! Les hommes-nuages ! Ils arrivent ! »
La musique leur plaisait tant qu'ils dansaient dans le ciel, tête en haut, tête en bas.

Ils s'amusaient tellement qu'ils ne pensaient pas à pleuvoir.
« Hé ! Ne partez pas ! Aidez-nous ! » crièrent les gens du clan. Trop tard !
Les hommes-nuages étaient déjà loin et faisaient des signes, comme pour dire au revoir.

Les gens du clan étaient désespérés. Ils n'avaient plus d'idées.
« Il ne nous reste plus qu'à attendre de nous changer en cailloux secs », dirent-ils.
Des hommes en colère envoyaient des boomerangs loin vers le ciel.

Rien ne pouvait monter assez haut pour toucher le soleil. Beaucoup de femmes voulaient pleurer pour récolter leurs larmes. Mais ce jour-là, même les larmes ne venaient pas. Petite Pluie, lui, n'était pas découragé.

« C'est peut-être moi le petit sorcier de la pluie », se dit-il en montant sur le dos de l'émeu.
« Si l'eau ne tombe pas du ciel, nous la trouverons sous la terre. Partons, mon ami.
Allons chercher un puits… » Ils s'en allèrent dans le grand bush.

En chemin, Petite Pluie croisa des animaux qui partaient ailleurs.
Il vit un kangourou bondissant, un ornithorynque rampant et même une tortue
qui avançait plus vite que d'habitude.
« Karadji ! Karadji ! Dépêchons-nous, l'émeu, il faut trouver de l'eau ! »

C'est alors que Petite Pluie vit au loin un cercle qui ressemblait à un puits.
Mais au moment où il s'approcha, Petite Pluie comprit qu'il n'y avait pas de puits,
mais seulement un très long serpent qui dormait en rond.
« Je suis le fameux serpent Arc-en-ciel. Admire-moi si tu veux ! »
« Menteur, tu n'as que deux couleurs. Tu es bleu-comme-le-ciel-qui-s'ennuie
et rouge-comme-le-sang-de-la-fourmi. En plus, tu es couvert de taches ! »

« Je vais te dévorer », siffla le serpent furieux. « Quand je t'aurai mangé,
tu renaîtras ailleurs, en garçon plus poli. »
À ces mots, le serpent montra ses crocs et fonça sur Petite Pluie.
Petite Pluie ramassa aussitôt un bâton.

Quand la bête ouvrit sa large gueule, le garçon y enfonça le bout de bois.
Le serpent ne put que l'avaler. Il tomba dans la poussière, tout raide.
Il essaya de glisser sur le sable, comme le font tous les animaux de sa race,
mais il n'y arriva pas.

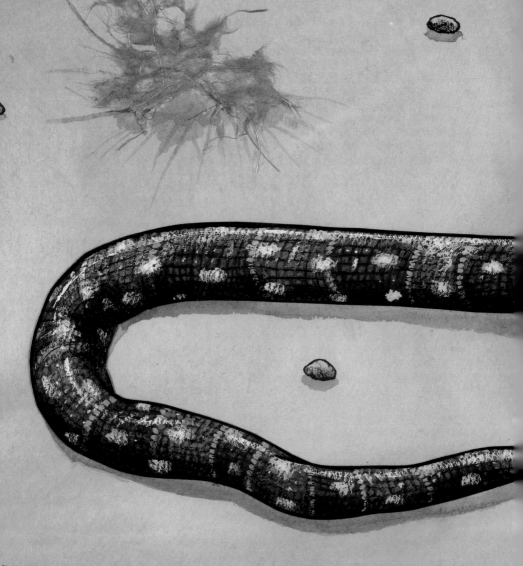

« Digère ce repas, Serpent-à-l'appétit-plus-grand-que-l'esprit.
Ce bâton t'aidera à devenir quelqu'un de droit. »
Derrière eux, l'émeu riait si fort qu'il faillit s'étrangler.

Petite Pluie voyagea encore un moment. Il comprit qu'il ne trouverait pas de puits.
Alors, une autre idée germa dans sa tête. Il réduisit de petites pierres blanches
en poussière et y ajouta un peu de salive. Pas beaucoup, car il avait la gorge
déjà fort sèche. Puis, avec les doigts, il se peignit sur tout le corps des gouttes de pluie.
« Je vais me montrer au ciel tout entier. Il verra ces gouttes sur moi.
Elles sont si belles qu'il en sera jaloux. Il voudra les mêmes et il pleuvra. »

« Hé, l'émeu, mon ami, emmène-moi où il n'y a pas d'arbres ! »
Debout sur l'animal, Petite Pluie se montra au ciel.
Les belles gouttes blanches brillaient au soleil comme de l'argent.
Le ciel commençait-il à être vraiment jaloux ? Voulait-il imiter Petite Pluie ?
Le voilà qui devint sombre tout à coup.

« J'ai senti une goutte, une vraie goutte d'eau ! » s'écria le garçon.
Il avait raison. La pluie se mit à tomber autour de lui, de plus en plus fort.

« Dépêchons-nous, mon ami. Il faut la ramener chez nous ! »
Les gens du clan ne furent jamais aussi surpris. Le fils de Kuyu-ma
et de Papunya arrivait, entouré d'un grand nuage qui pleuvait. « Karadji ! Karadji !
Maman ! Papa ! Regardez : c'est moi. Je suis le petit sorcier de la pluie ! »

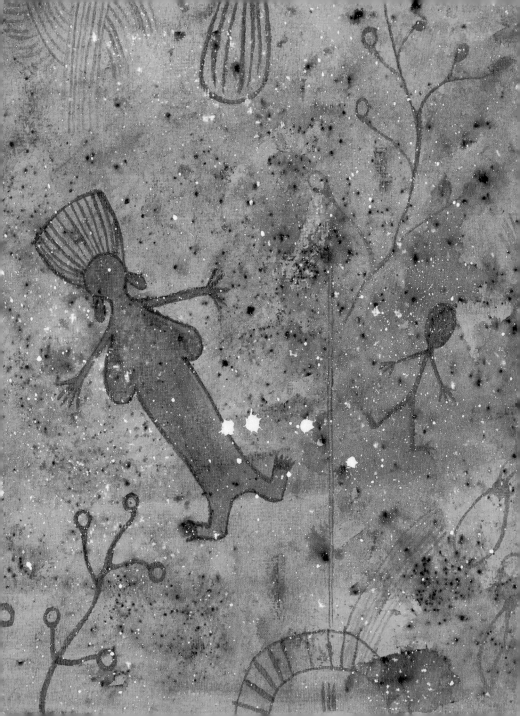